100 %
VERDURA

El reino vegetal en tu plato

Las mejores recetas de los programas
100 % vegetal y *De verdad verdura*

Grijalbo

Primera edición: febrero de 2013

© 2013, Chello Multicanal – Multicanal Iberia, S.L.U.,
    por el texto y las fotografías
© 2013, Random House Mondadori, S.A.
    Travessera de Gràcia, 47-49. 08021 Barcelona

Maquetación: Roser Colomer

Fotocomposición: gama sl

Printed in Spain - Impreso en España

ISBN: 978-84-253-5005-4

Depósito legal: B-1118-2013

Impreso y encuadernado en Egedsa, Sabadell (Barcelona)

G R 5 0 0 5 4

SUMARIO

100 % VEGETAL
Ana Moreno

A muchas personas les gustaría comer de forma más vegetariana, pero no saben cómo llevar esta aspiración a la práctica. Necesitan una guía que les ayude a pasar a la acción. En este libro encontrarás más de sesenta recetas vegetarianas al 100 %, en las que no se emplea ningún tipo de ingrediente animal, como carne de res o ave, embutido, pescado, marisco, leche, queso o nata, huevos o gelatina. Únicamente nos hemos permitido la licencia de la miel, que fabrican las abejas, aunque se puede sustituir por sirope de arce, ágave o stevia.

La dieta vegetariana debe contener un aporte adecuado de proteínas, hidratos de carbono, grasas, fibra, vitaminas, minerales, oligoelementos y enzimas. Por eso es conveniente informarse bien antes de dar el paso hacia el vegetarianismo. Comer siempre que sea posible alimentos biológicos, es una forma de consumir productos de calidad garantizada.

Si ya fuiste vegetariano antes y lo dejaste porque no te sentías seguro, porque te aburriste de comer siempre lo mismo o porque te quedaste embarazada y tenías miedo de no estar alimentándote bien, ¡enhorabuena!, ya tienes mucho camino recorrido. Si es tu primera vez, ¡felicidades, también!

Como cocinera, naturópata y coach nutricional he conducido una serie de veintidós capítulos de cocina *100 % vegetal* en Canal Cocina. La mayor parte de las recetas propuestas en el programa *100 % vegetal* forman parte de este libro. Después de leerlo tendrás una buena cantidad de ideas, así que ¡lánzate sin miedo a cocinar todas mis recetas! Tu salud, el planeta y los animales te lo agradecerán.

DE VERDAD VERDURAS
Chema de Isidro

Cuando nos ponemos un mandil y empezamos a pensar en qué podemos ofrecer a quienes se sientan a nuestra mesa o cómo nos gustaría sorprenderlos, enseguida nos vienen a la cabeza recetas de otros países, elaboraciones de moda, carnes exóticas o pescados lo más raros posibles. Sin embargo, basta con fijarnos en nuestros campos y nuestras tierras, sin irnos muy lejos y sin gastarnos mucho dinero siquiera, para sorprender a nuestros queridos comensales.

Echa un vistazo a ese puesto del mercado donde reinan el color y los aromas y allí encontrarás la solución: las verduras. Elige aquellas que estén en temporada, aquellas que tengan esas heridas de sol que las hicieron madurar y preparaos para deleitar a vuestros comensales.

Con las sencillas y divertidas recetas que hallarás a continuación se abre un mundo de posibilidades para disfrutar de estas joyas de la naturaleza y sobre todo para llenarte de salud.

En las tapas, los primeros platos y también en los segundos, deja que las verduras entren en tu casa por la puerta grande, que de verdad se lo merecen.

Por eso, DE VERDAD VERDURAS.

Que te aproveche.

100%
VEGETAL

Gazpacho de fresones

- 1 kg de fresones
- 1 pepino
- ¾ de cebolla
- 1 diente de ajo
- ½ pimiento rojo
- 1 chorrito de vinagre de umeboshi
- 1 chorrito de aceite de oliva virgen extra
- 4 hojas de menta
- sal marina

Lavamos los fresones y los colocamos en un vaso alto, reservando cinco de ellos para decorar. Añadimos al vaso el pepino pelado, sin semillas y cortado en trozos, media cebolla también cortada, el ajo y el vinagre, y lo trituramos.

Lo salamos y añadimos el aceite poco a poco sin parar de batir.

Dejamos enfriar el gazpacho en la nevera.

Mientras, cortamos en taquitos el pimiento, el cuarto de cebolla restante y un fresón para decorar el plato.

Servimos el gazpacho en cuatro cuencos con un hilo de aceite de oliva por encima, los taquitos y un fresón entero y una hoja de menta en cada uno.

Crema de aguacate con barquitas de endibia y ensalada de lentejas

- 4 endibias

Para la crema
de aguacate:
- 1 aguacate
- 1 tomate
- ¼ de cebolla
- ½ pimiento rojo
- 1 vaso de agua
- el zumo de 1 lima
- sal marina
- pimienta negra

Para la ensalada
de lentejas:
- 100 g de lentejas
  cocidas
- 1 cebolla picada
- 1 tomate cortado
  en dados
- perejil fresco picado
- aceite de oliva
- sal marina

Trituramos el aguacate, el tomate, la cebolla, el pimiento, el zumo y el agua. Salpimentamos la crema resultante. Repartimos la crema en cuencos y la cubrimos con un picadillo de aguacate, cebolla, tomate y pimiento rojo.

Preparamos la ensalada mezclando las lentejas con el tomate, la cebolla, el perejil, la sal y el aceite.

Disponemos en un plato rectangular el cuenco con la crema de aguacate y al lado las endibias rellenas de ensalada de lentejas.

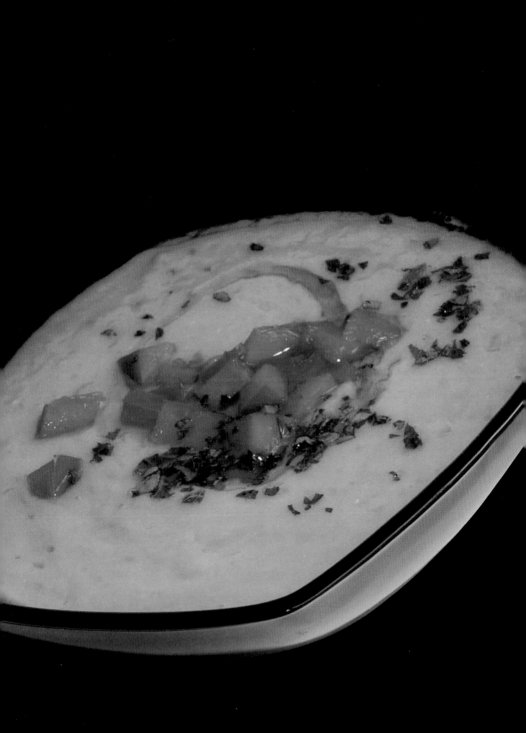

Crema de zanahoria y jengibre

- 3 zanahorias grandes
- ½ puerro
- ½ apio
- 50 g de jengibre
- 1 litro de caldo
  de verduras

- semillas de calabaza
- nata vegetal
- aceite de oliva
- sal marina

Cortamos el puerro y la cebolla en trozos grandes y los sofreímos en una sartén con un poco de aceite.

Añadimos la zanahoria pelada y troceada, el apio también cortado y el trozo de jengibre entero dentro de una red para cocinar.

Cubrimos con el caldo vegetal y lo dejamos cocer.

Una vez que las zanahorias están tiernas, sacamos la red con el jengibre, retiramos y reservamos un poco del líquido de la cocción y trituramos las verduras. Vamos añadiendo líquido de la cocción si vemos que la crema queda demasiado espesa.

Servimos la crema en los platos y la decoramos con un chorrito de nata vegetal, las semillas de calabaza y unas gotas de aceite de oliva.

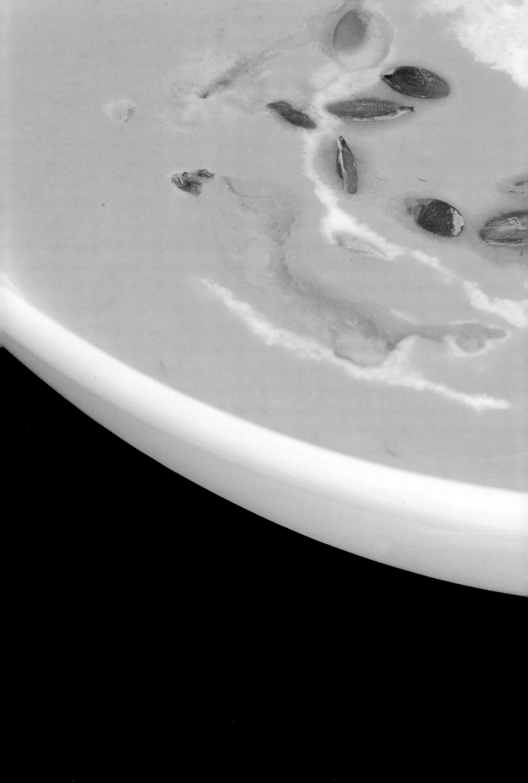

Sopa de melón

- ½ melón
- ½ cucharadita de canela en polvo
- ½ cucharadita de nuez moscada en polvo
- ½ cucharadita de cúrcuma
- 1 ramita de tomillo

Vaciamos el medio melón sacando la pulpa sin romper la cáscara. Mezclamos la pulpa con las especias, excepto el tomillo, con ayuda de la batidora eléctrica.

Reservamos la sopa resultante en la nevera.

En el momento de llevar la sopa a la mesa, la servimos en la cáscara del medio melón y la adornamos con la ramita de tomillo.

Sopa de naranjas con fresas a la menta

- 4 naranjas de zumo
- 800 g de fresas
- 4 cucharadas de miel
- 400 ml de licor de naranja (Cointreau)

- hielo picado
- hojas de menta fresca para decorar

Cortamos las naranjas por la mitad y vaciamos la pulpa con la ayuda de un cuchillo de sierra y una cuchara. Reservar las cáscaras en la nevera.

Trituramos la pulpa y la colamos.

Añadimos al líquido obtenido las fresas lavadas y picadas, la miel y el Cointreau.

Dejamos enfriar la sopa en la nevera hasta la hora de servirla.

Cuando llegue el momento, preparamos una cama de hielo picado en una fuente honda. Rellenamos las cáscaras de naranja con la sopa y las disponemos en la fuente, encima del hielo.

Adornamos la sopa con las hojas de menta y la llevamos a la mesa.

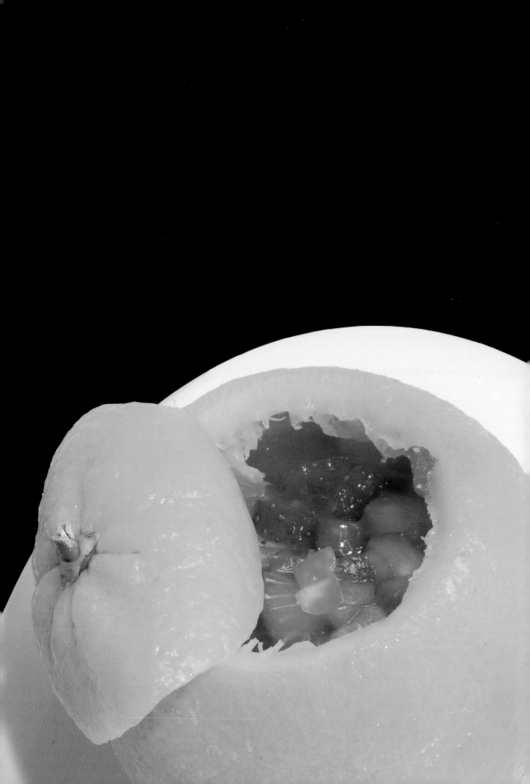

Sopa de cebolla al cava

- 2 cebollas grandes
- 100 g de margarina vegetal no hidrogenada
- 500 ml de caldo de verduras
- 2 benjamines de cava
- 4 rebanadas finas de pan negro tostadas
- nata vegetal para decorar
- 4 hojas de romero para decorar

Pelamos las cebollas y las cortamos en rodajas finas.

Calentamos la margarina en una olla grande y rehogamos en ella la cebolla, a fuego lento y con la olla tapada, durante 20 minutos.

Añadimos el caldo de verduras y el cava y dejamos cocer poco a poco durante 30 minutos. A continuación, trituramos ligeramente la cebolla.

En el momento de servir, repartimos la sopa en cuencos individuales, colocamos encima de cada cuenco una rebanada de pan negro tostada y vertemos un chorrito de nata vegetal. Decoramos con una hojita de romero y llevamos la sopa a la mesa.

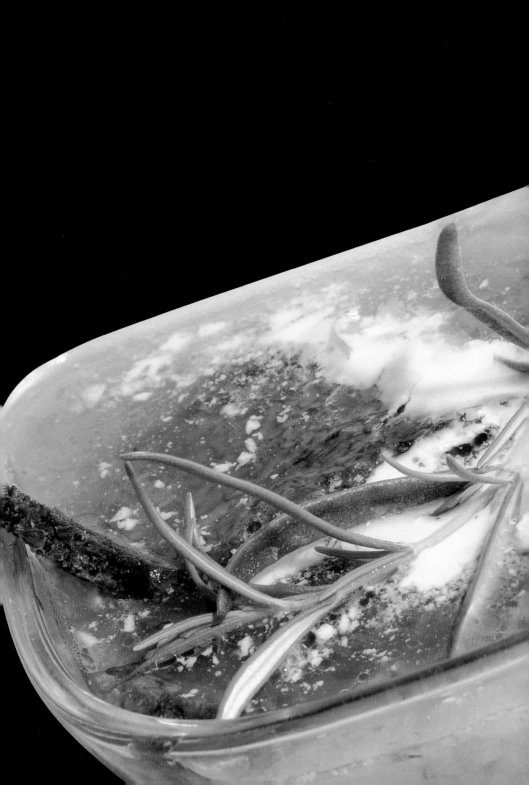

Ensalada de delicias con mostaza y miel

- 1 pimiento rojo
- 1 zanahoria
- 1 calabacín
- 1 remolacha cocida
- 1 manzana
- 2 cucharadas de nueces peladas
- 2 cucharadas de mostaza de Dijon

- 2 cucharadas de miel
- 1 cucharada de vinagre de manzana
- 1 cucharada de aceite de oliva virgen extra
- 4 hojas de menta fresca
- 2 hojas de albahaca fresca

Lavar el pimiento y retirarle las semillas; raspar y lavar la zanahoria; lavar el calabacín; pelar la manzana y quitarle el corazón. Picar todos estos ingredientes, y picar también la remolacha, las nueces, la menta y la albahaca.

Mezclarlo todo, aliñarlo con la mostaza, la miel, el vinagre y el aceite, y servir.

Ensalada italiana

- 1 bolsa de rúcula
- 1 manzana ácida (granny smith)
- 1 cucharada de aceitunas negras
- 1 cucharada de piñones
- 5 tomates secos
- 1 cucharada de vinagre de umeboshi
- 3 cucharadas de aceite de oliva
- el zumo de 1 limón

Pelamos y descorazonamos la manzana y la cortamos en dados, fileteamos las aceitunas y picamos los tomates secos.

Colocamos un montoncito de rúcula en el centro de un plato llano, procurando que quede con el mayor volumen posible. Disponemos alrededor los dados de manzana y los rociamos con el zumo de limón.

Preparamos una vinagreta mezclando a mano las aceitunas, los piñones, los tomates secos, el vinagre y el aceite.

En el momento de servir, salamos la ensalada y la aliñamos con la vinagreta.

Ensalada Waldorf con dos mayonesas

- 1 rama de apio blanco
- 3 manzanas fuji
- 50 g de nueces
- el zumo de ½ limón
- sal
- pimienta

Para la mayonesa:
- 100 ml de leche de soja
- 100 ml de aceite de oliva
- 100 ml de aceite de girasol

- 1 remolacha cocida
- 1 zanahoria cocida
- el zumo de ½ limón
- ½ diente de ajo
- ½ cucharadita de cúrcuma
- sal

Limpiamos el apio y lo cortamos en rodajas no muy gruesas. Mezclamos la mitad con la mitad de las manzanas con piel cortadas en cubos y lo rociamos todo con la mitad del zumo de limón

Rallamos el resto de las manzanas sin pelarlas y las agregamos a la otra mitad del apio. Rociamos la mezcla con el zumo de limón que ha quedado.

Picamos las nueces, añadimos la mitad a cada preparación y colocamos las dos ensaladas en dos cuencos pequeños.

Preparamos la mayonesa batiendo la leche de soja con el aceite de oliva, el de girasol, el zumo de limón, el ajo y la sal. La repartimos en dos cuencos.

Rallamos la remolacha cocida y la añadimos a una parte de la mayonesa. Agregamos la cúrcuma y removemos.

Rallamos la zanahoria cocida y la mezclamos con el resto de la mayonesa.

Servimos la ensalada con la mayonesa de remolacha y la de zanahoria.

Ensalada Horiatiki

- 2 tomates
- 1 pepino
- ½ lechuga
- ½ cebolla
- ½ pimiento verde
- 100 g de queso feta
- 2 cucharadas de aceite de oliva virgen
- 1 cucharada de vinagre
- 3 cucharadas de aceitunas negras
- 1 cucharadita de sal marina

Cortamos el tomate en cuartos, el pepino, el pimiento y la cebolla en rodajas, el queso en dados y la lechuga en trozos grandes.

Ponemos en una ensaladera la lechuga, los tomates y el pepino.

Añadimos la cebolla, el pimiento, las aceitunas, la sal, el vinagre y el aceite, y mezclamos.

Agregamos el queso y llevamos la fuente a la mesa.

Antipasto a la griega

- 1 rama de apio
- 2 calabacines
- 1 cebolla
- 1 cucharada de salsa de tomate o 1 tomate triturado
- 6 hojas de albahaca
- ½ vaso de vino blanco
- 1 cucharada de pasas sin pepitas
- el zumo de 1 limón
- 1 cucharada de aceite de oliva
- pimienta
- sal marina
- pan de pita integral

Cortamos la rama de apio en trozos y lo salteamos en una sartén con el aceite. Añadimos los calabacines cortados en dados y la cebolla picada muy fina.

Cuando la cebolla esté transparente, agregamos la salsa de tomate diluida en un vaso de agua, la albahaca y el vino, las pasas y el zumo de limón.

Sazonamos la mezcla con sal y pimienta y la dejamos cocer durante media hora.

Servimos el antipasto en una cazuelita acompañado del pan caliente.

Cuscús de verduras

- 200 g de cuscús
- 1 cebolla
- 2 zanahorias
- 1 calabacín
- 100 g de albaricoques secos
- 100 g de pasas sin pepitas
- 150 g de garbanzos cocidos
- 1 diente de ajo
- una pizca de jengibre en polvo
- una pizca de canela en polvo
- cilantro fresco
- aceite de oliva

En una cacerola, sofreímos la cebolla picada y la zanahoria cortada en rodajas. Cuando se hayan ablandado, añadimos el ajo, el jengibre y la canela. Rehogamos durante un par de minutos.

Agregamos los albaricoques secos, las pasas, los garbanzos cocidos y el calabacín picado. Lo dejamos rehogar todo junto unos 10 minutos.

Mientras, preparamos el cuscús. Ponemos el cuscús en un colador y vertemos agua hirviendo por encima. Lo removemos con un tenedor para que no se apelmace.

En el momento de servir, disponemos un lecho de cuscús en los platos, colocamos las verduras encima y lo espolvoreamos con el cilantro picado.

Hamburguesas vegetarianas

- 150 g de copos de avena
- ½ pimiento rojo
- ½ zanahoria
- ½ calabacín
- ½ yuca
- 1 cucharada de harina de espelta

- 2 cucharadas de salsa de soja
- ketchup
- aceite de oliva
- sal

Remojamos los copos de avena con agua durante 5 minutos y los escurrimos.

Limpiamos y picamos el pimiento rojo, la zanahoria y el calabacín y los mezclamos con los copos de avena. Añadimos la harina y la salsa de soja.

Con esta masa formamos unas minihamburguesas.

Ponemos un poco de aceite en una sartén y las freímos.

Cortamos la yuca en tiras y la freímos en abundante aceite.

Servimos las hamburguesas, acompañadas con la yuca y el ketchup.

Musaka vegetariana

- 2 patatas
- 2 tomates
- 2 berenjenas
- 50 g de pan de centeno rallado
- 50 g de parmesano rallado
- aceite de oliva

- orégano seco
- sal marina

Para la bechamel:
- 60 g de mantequilla
- 60 g de harina
- 1 litro de leche de soja

Precalentamos el horno a 200 °C.

Para preparar la bechamel, derretimos la mantequilla en una sartén, añadimos la harina y la removemos. Vertemos la leche poco a poco sin dejar de remover. Seguimos removiendo hasta que empiece a hervir y se espese. Reservamos.

Pelamos las patatas, las cocemos al vapor y las cortamos en rodajas.

Cortamos las berenjenas en rodajas finas y las freímos.

Pelamos los tomates y los cortamos en rodajas.

Disponemos en dos cazuelitas de barro individuales las rodajas de patata, un poco de sal marina, una capa de rodajas de tomate, otra pizca de sal y una capa de berenjena.

Lo cubrimos todo con la bechamel, espolvoreamos la superficie con el pan, el parmesano y el orégano.

Ponemos las cazuelitas en el horno durante 10 minutos para gratinar la musaka y servimos inmediatamente.

Pan integral de espelta y centeno con semillas

- 250 g de harina integral de espelta
- 250 g de harina integral de centeno
- 375 ml de agua
- 1 sobre de levadura de panadería
- semillas de calabaza
- 1 cucharada de sal marina

Calentamos el agua a 40 °C.

Mezclar las dos clases de harina con la levadura y la sal. Añadimos casi toda el agua y mezclamos bien para formar una masa. Agregamos más agua si es necesario.

Añadimos la mitad de las semillas y las integramos a la masa.

Colocamos la masa en un bol, la tapamos con un paño o un trozo de film transparente y dejamos que fermente durante al menos 2 horas, si es posible cerca de una fuente de calor.

Precalentamos el horno a 220 °C.

Transcurrido este tiempo, disponemos la masa en un molde alargado para bizcocho, forrado con papel para hornear.

Con las manos ligeramente humedecidas, aplanamos la superficie y la espolvoreamos con el resto de las semillas. A continuación le hacemos unos cortes transversales con un cuchillo.

Introducimos el molde en el horno durante 25 minutos, hasta que el pan forme la costra. Transcurrido este tiempo, bajamos la temperatura a 175 °C y dejamos cocer el pan durante 35 minutos más.

Lo sacamos del horno, lo desmoldamos y lo dejamos enfriar sobre una rejilla. Se podrá comer cuando esté frío. Podemos congelar lo que no vayamos a consumir. Cuando se quiera descongelar, bastará con sacarlo la noche anterior.

Sándwich de aguacate

- 8 rebanadas de pan integral de espelta y centeno
- 2 aguacates
- 8 hojas de lechuga
- 2 tomates
- germinados
- 1 chorrito de aceite de oliva
- pimienta
- sal marina

Lavamos la lechuga y la cortamos en tiras; cortamos el tomate en rodajas y partimos los aguacates en trozos.

Montamos los sándwiches colocando encima de 4 rebanadas el aguacate, el tomate, la lechuga y los germinados. Salpimentamos, aliñamos con un chorrito de aceite y tapamos con las demás rebanadas.

Bocadillo de espinacas con pasas, piñones y tomate seco

- 8 rebanadas de pan de centeno alemán
- 1 kg de espinacas frescas
- 50 g de pasas remojadas y escurridas
- 25 g de piñones
- 4 tomates secos
- aceite de oliva
- pimienta negra
- sal marina

Ponemos los tomates en agua caliente durante 15 minutos para hidratarlos.

Lavamos las espinacas, reservamos unas hojas y picamos el resto. Las salteamos junto con las pasas y los piñones. Salpimentamos y reservamos.

Montamos los bocadillos colocando un tomate seco y unas hojas de espinacas frescas encima de 4 rebanadas de pan. Ponemos encima unas hojas de espinacas más y la tapa del bocadillo.

Servimos los bocadillos, y descubriremos que los tomates secos hidratados, con el pan, saben como el jamón serrano.

Tostadas provenzales con tomate

- 2 rebanadas de pan integral
- 1 tomate
- ½ cucharada de perejil picado
- ½ cucharada de albahaca picada
- ½ cucharada de cebollino picado
- una pizca de nuez moscada
- una pizca de pimentón dulce
- aceite de oliva virgen

Precalentamos el horno a 200 °C. Tostamos el pan.

Lavamos el tomate, lo cortamos en rodajas y lo colocamos sobre el pan.

Mezclamos el perejil y la albahaca, la nuez moscada y el pimentón, y esparcimos la preparación por encima del tomate.

Regamos las tostadas con aceite de oliva y las horneamos a 200 °C durante 8 minutos.

Al sacarlas del horno, las espolvoreamos con cebollino picado y las servimos enseguida.

Tostas de berenjena

- 1 berenjena grande
- pimientos del piquillo al gusto
- pan integral
- 1 chorrito de aceite de oliva
- perejil fresco para decorar
- pimienta negra molida
- sal marina

Precalentamos el horno a 200 °C y tostamos el pan durante 8 minutos.

Hacemos unos cortes transversales a las berenjenas y las horneamos durante 30 minutos a 175 °C.

Pelamos las berenjenas y las trituramos con los pimientos del piquillo (reservamos alguno para decorar), pimienta, sal y un chorrito de aceite de oliva.

Repartimos la crema obtenida por encima de las tostadas y las decoramos con unas tiras de pimiento y una ramita de perejil.

Servimos las tostas de inmediato, acompañadas, si se desea, de una ensalada de brotes tiernos.

Barritas energéticas

- 50 g de semillas de lino
- 25 g de semillas de sésamo
- 25 g de semillas de calabaza
- unas gotas de agua
- 1 cucharada de miel
- una pizca de sal marina

Ponemos todas las semillas en el vaso de la batidora con el agua, la miel y la sal y las trituramos un poco. Deben quedar partidas en trozos no homogéneos.

Disponemos la mezcla sobre un papel para hornear y la extendemos con el dorso de una cuchara humedecida hasta conseguir una lámina muy fina.

Cortamos la lámina en barritas y las horneamos a 180 °C hasta que se sequen.

Pastel de brócoli y tomate seco

- 150 g de brócoli
- 100 ml de nata vegetal
- 125 ml de leche de soja no azucarada
- 2 cucharadas de levadura de cerveza en copos
- 2 tomates secos
- 4 cucharaditas de algas agaragar
- ½ cucharada de aceite de oliva
- una pizca de cúrcuma
- una pizca de cayena molida
- unas gotas de zumo de limón
- pimienta
- sal marina

Lavamos el brócoli, retiramos el tronco y separamos los ramilletes.

Ponemos el tomate en remojo durante 15 minutos para hidratarlo.

Los cocemos al vapor unos 15 minutos, hasta que esté tierno, pero no demasiado blando.

En un cazo, calentamos la leche mezclada con la nata y el agaragar. Cuando la mezcla se haya espesado, agregamos la cúrcuma y removemos.

Incorporamos el tomate seco hidratado, cortado en trozos, y el brócoli, y condimentamos la preparación con la cayena molida.

Añadimos la levadura de cerveza, la pimienta, la sal y el zumo de limón. Removemos bien y vertemos la mezcla en un molde.

Horneamos el pastel a 180°C durante 12 minutos. Pasado este tiempo, retiramos el molde del horno y dejamos que se tiemple durante 30 minutos aproximadamente para que el agaragar cuaje.

Desmoldamos el pastel, lo adornamos con unos arbolitos de brócoli y lo servimos.

Carpaccio de tomates con higos

- 2 tomates maduros
- 4 higos secos
- 1 cucharada de aceite de oliva
- 1 cucharada de vinagre de umeboshi
- pimienta negra molida al gusto
- sal marina en cristales
- higos secos picados para decorar

Quitamos los rabitos a los higos y los ponemos en remojo durante 10 minutos en 100 ml de agua.

Mientras, cortamos el tomate en rodajas finas y las disponemos en una fuente.

Pasamos los higos, con el agua de remojo, al vaso de la batidora, agregamos el aceite de oliva y el vinagre de umeboshi y lo trituramos todo.

Extendemos la mezcla de higos sobre los tomates y espolvoreamos sal marina y pimienta negra recién molida por encima del conjunto.

Decoramos el carpaccio con los higos secos picados y los servimos.

California rolls

- 2 láminas de alga nori
- 2 hojas de lechuga
- 50 g de paté vegetal
- 1 aguacate
- 1 zanahoria

- 1 pimiento rojo
- 50 g de frutos secos remojados, escurridos y triturados
- un puñado de brotes de alfalfa

Raspamos la zanahoria, lavamos el pimiento y cortamos ambos en tiras. Pelamos el aguacate y lo laminamos.

Extendemos sobre una esterilla de bambú (makisu) una lámina de alga nori y la cubrimos con una hoja de lechuga para que al colocar el relleno, el alga nori no se humedezca.

Esparcimos sobre la lechuga la mitad del paté vegetal y una cucharada de frutos secos triturados. Colocamos encima unas tiras de zanahoria y los brotes de alfalfa.

Enrollamos la lámina, sellamos el extremo con agua y presionamos bien el rollito para que no se deshaga.

Para hacer el otro rollito, extendemos la lámina de alga sobre el makisu, la cubrimos con la lechuga, el paté y los frutos secos restantes, y colocamos encima unas láminas de aguacate y unas tiras de pimiento.

Enrollamos la lámina y sellamos el rollito del mismo modo que el anterior.

Cortamos los rollitos en trozos y los servimos.

Paté de espinacas

- 200 g de espinacas
- 50 g de nueces peladas
- 1 cucharada de agaragar
- ¼ de cebolla dulce
- 1 chorrito de sirope de ágave
- sal marina

Poner las nueces en remojo con agua entre 2 y 4 horas.

Una vez remojadas, las trituramos con las espinacas, la cebolla y el sirope. Lo mezclamos con el agaragar y la sal.

Calentamos la mezcla en una sartén para que cuaje el agaragar. La pasamos a un molde y la dejamos cuajar en la nevera.

Paté de tomate

- 1 rama de apio
- 4 endibias
- 100 g de piñones remojados
- ½ cebolla roja
- 1 tomate maduro
- el zumo de media lima
- pimienta
- sal marina

Trituramos los piñones, la cebolla y el tomate con el zumo, la pimienta y la sal.

Rellenamos las hojas de endibia y el apio con esta mezcla y servimos enseguida.

Paté de zanahorias con endibias

- 4 endibias
- berros
- pepino
- tomillo
- aceite de oliva virgen extra
- sal marina

Para el paté:
- 3 zanahorias
- 1 aguacate
- 1 cucharada de cúrcuma
- 1 trozo de jengibre fresco de 1 cm aproximadamente
- 1 diente de ajo

Trituramos las zanahorias con la cúrcuma, el jengibre y el ajo. Mezclamos la preparación obtenida con el aguacate, aplastándolo con un tenedor.

Rellenamos las endibias con la mezcla. Coronamos con una ramita de tomillo cada endibia rellena.

Disponemos las endibias sobre una cama de berros. Añadimos como guarnición unas rodajas de pepino cortadas muy finas con la mandolina.

Espolvoreamos el conjunto con sal marina y lo rociamos con un hilito de aceite de oliva. Lo servimos inmediatamente.

Paté de calabaza con ensalada de garbanzos y setas salteadas

- ½ calabaza
- 6 dientes de ajos
- 100 g de setas variadas
- 100 g de garbanzos cocidos
- aceite de oliva de sabor fuerte
- orégano
- vinagre de manzana

Salteamos los ajos en aceite de oliva. Añadimos la calabaza cortada en trozos grandes y tapamos el recipiente. Dejamos cocer a fuego muy lento, removiendo de vez en cuando, hasta que se haga una pasta.

Salteamos las setas.

Hacemos un majado con ajo, orégano, vinagre y aceite de oliva, y lo añadimos a la calabaza minutos antes de apagar el fuego.

Servimos este paté sobre las setas salteadas o sobre unos garbanzos cocidos.

Berenjenas con salmorejo

- 2 berenjenas
- 100 g de piñones crudos
- 200 g de tomates cherry muy rojos
- ½ diente de ajo
- ½ pimiento rojo
- vinagre de umeboshi al gusto
- aceite de oliva virgen extra
- sal marina

Trituramos los piñones, los tomates, el ajo, el pimiento y la cebolla con un poco de sal y vinagre.

Emulsionamos con el aceite de oliva incorporándolo en un hilo fino sin dejar de batir.

Cortamos las berenjenas en rodajas y las freímos en abundante aceite caliente.

Servimos el salmorejo muy frío, acompañado de las berenjenas.

Brochetas de verduras

- 1 calabacín
- 1 cebolla
- 1 bandeja de champiñones
- 1 bandeja de tomates cherry
- 1 pimiento rojo
- 1 pimiento verde
- una pizca de mostaza
- una pizca de orégano
- una pizca de perejil
- 1 diente de ajo
- aceite de oliva
- el zumo de ½ limón

Cortamos el calabacín, los champiñones, la cebolla y los pimientos en trozos pequeños, que se puedan ensartar en los palitos de madera de las brochetas. Rociamos con zumo de limón todas las verduras.

Hacemos una salsa con mostaza, orégano, perejil y el ajo machacado. Si se desea, se le puede añadir alguna otra especia. Agregamos aceite a la mezcla hasta que la salsa quede más bien líquida.

Ponemos las verduras a macerar en esta salsa durante una hora como mínimo.

Transcurrido este tiempo pinchamos en los palitos todas las verduras, además de los tomates. Empezamos y terminamos cada brocheta con un trozo de pimiento.

Horneamos las brochetas durante 20 minutos a 180 °C y las servimos enseguida.

Espaguetis de calabacín con sobrasada

- 2 calabacines
- brotes de alfalfa

Para la sobrasada:
- 50 g de tomates secos
- 1 diente de ajo
- 25 g de piñones crudos

- unas hojas de albahaca fresca
- 2 cucharadas de aceite de oliva virgen extra
- pimienta negra
- sal marina

Con un pelador, cortamos el calabacín en tiras largas, que parezcan de falsa pasta.

Rehidratamos los tomates secos en agua caliente durante 15 minutos.

Escurrimos los tomates y los trituramos con el ajo, los piñones, la albahaca y el aceite. Salpimentamos la mezcla.

Servimos los espaguetis de calabacín y la falsa sobrasada por encima, decorados con los brotes de alfalfa.

Curry vegetariano con leche de coco

- 2 manzanas peladas y en trozos
- 2 plátanos en trozos
- 2 tomates pelados y triturados
- 2 cebollas trituradas
- 3 cucharadas de curry
- 1 bote de leche de coco (sin azúcar)
- 1 puñado de champiñones
- aceite de oliva
- cilantro

Sofreímos los champiñones en el aceite. Añadimos la cebolla y, cuando esté transparente, el tomate.

Dejamos cocer durante 5 minutos, añadimos el curry y mezclamos.

Cuando esté bien tostado, agregamos la leche de coco y las frutas.

Dejamos cocer el curry destapado durante 20 minutos o hasta que los ingredientes estén muy bien integrados y casi no se diferencien, de un bonito color mostáza.

Servimos el curry enseguida, decorado con unas hojitas de cilantro picado.

Tabulé de quínoa

- 1 vaso de quínoa
- 2 cebollas
- 4 tomates
- 1 pepino
- 3 cucharadas de perejil picado
- 3 cucharadas de menta fresca picada
- el zumo de 1 limón
- comino
- pimienta negra
- canela
- aceite de oliva

Mezclamos el perejil, la menta, el zumo de limón, el aceite, el comino, la pimienta negra y la canela y dejamos macerar la salsa.

Enjuagamos y cocemos la quínoa en dos vasos de agua durante 15 minutos. A continuación, la escurrimos y la aclaramos con agua fría.

Añadimos el tomate, el pepino y la cebolla picados muy finos a la quínoa.

Removemos bien el tabulé y lo aliñamos con la salsa, revolviéndolo bien para que la ensalada se impregne de su sabor.

Tzatziki, yogur con ajo y pepino

- 1 yogur griego vegetal
- ½ diente de ajo
- ½ pepino
- aceitunas negras
- 1 cucharada de aceite de oliva
- ½ cucharada de vinagre de manzana
- pimienta negra
- cebollino picado
- pan de pita
- sal marina

Escurrimos bien el suero del yogur.

Pelamos el pepino y eliminamos las semillas y toda la parte acuosa con la ayuda de un sacacorazones.

Trituramos el yogur escurrido con el pepino y el ajo. Sin parar de batir, añadimos el aceite y el vinagre. Salpimentamos la mezcla.

Servimos el tzatziki como aperitivo, acompañado de aceitunas negras, cebollino y pan de pita.

Gelatina vegetal de verduras

- 4 cucharaditas de alga agaragar
- 4 vasos de agua
- 60 ml de zumo de naranja
- ½ mango

- ½ plátano
- 3 cucharadas de miel

Para la mermelada:
- ½ plátano
- ½ mango

Llevamos el agua a ebullición en un cazo y cuando rompa a hervir añadimos el agaragar, la miel y el zumo, removiendo para que se disuelva todo completamente. Lo dejamos cocer durante un minuto para que espese.

Agregamos las frutas al cazo y vertemos la preparación en un molde grande alargado, para que luego se pueda servir cortada, de modo que se vean las frutas en el corte.

Dejamos enfriar el molde y lo metemos en la nevera.

Mientras, preparamos la mermelada triturando el plátano y el mango.

Servimos la gelatina acompañada de la mermelada.

Migas de calabaza

- ¼ de calabaza
- ½ pimiento rojo
- ½ calabacín
- 100 g de copos de avena
- 1 cucharadita de ajo en polvo
- pimentón y pimienta
- aceite de oliva
- sal

Picamos la calabaza, el pimiento y el calabacín, y los mezclamos con los copos de avena y un chorrito de aceite en una fuente para horno.

Salpimentamos la mezcla y la aromatizamos con el ajo y el pimentón.

Regamos las verduras con un vaso de agua y las horneamos a 175 °C durante 30 minutos.

Servimos.

Migas de manzana

- 4 manzanas
- una pizca de canela
- una pizca de clavo molido
- una pizca de nuez moscada
- 400 g de copos de avena
- 200 ml de aceite de oliva virgen
- 1 cucharada de miel
- una pizca de sal marina
- nata vegetal montada

Pelamos y troceamos las manzanas en dados pequeños.

Las mezclamos con la canela, el calvo, la nuez moscada, los copos de avena, el aceite, la sal y la miel.

Pasamos la mezcla a una fuente y la horneamos a 175 °C durante 30 minutos.

Una vez se hayan enfriado un poco, servimos las porciones de migas templadas en cuencos con una quenelle de nata montada vegetal encima.

Albaricoque y fresas en papillote

- 12 albaricoques
- 12 fresones
- 6 ramitas de romero
- 4 cucharadas de miel de espliego
- una pizca de sal marina

Recortamos cuatro cuadrados de 30 centímetros de lado de papel sulfurizado y colocamos encima de cada uno 6 mitades de albaricoque. Los rociamos con la miel y ponemos encima una ramita de romero.

Cerramos los paquetes y envolvemos cada uno en un trozo de papel de plata.

En otro trozo de papel sulfurizado colocamos el fresón cortado en rodajas y rociado con miel. Añadimos una ramita de romero, cerramos el paquete y lo envolvemos en papel de plata.

Horneamos los paquetes durante 10 minutos a 180 °C.

Servimos los papillotes cerrados, decorados con una ramita de espliego por encima, para que cada comensal abra el suyo.

DE VERDAD VERDURAS

Ensalada de remolacha y endibias con queso idiazábal y vinagreta de miel

Para la ensalada:
- 500 g de remolacha cocida
- 4 endibias
- 200 g de tomates para ensalada
- 200 g de zanahoria
- 100 g de maíz dulce
- 100 g de queso idiazábal
- sésamo
- vinagre de Módena reducido
- cebollino fresco picado

Para la vinagreta:
- 2 cucharadas de miel
- 3 cucharadas de mostaza antigua
- 50 ml de vinagre de jerez
- 120 ml de aceite de oliva suave
- 1 yema de huevo
- pimienta
- sal

Lavamos todas las verduras. Pelamos y cortamos los tomates en dados pequeños y las zanahorias, en juliana. Las metemos en agua con hielo durante un minuto para que adquieran firmeza.

Mientras, deshojamos las endibias y la sumergimos en otro bol con agua con hielo durante un minuto.

Para preparar la vinagreta, montamos la yema con ayuda de un batidor de varillas. Añadimos la miel, la mostaza y el vinagre y vamos echando el aceite, poco a poco, para que no se corte la emulsión.

Salpimentamos la vinagreta y la reservamos.

Cortamos en trozos la remolacha y escurrimos el maíz.

Colocamos las verduras, escurridas y secas, en el plato. Las salseamos y rallamos encima un poco de queso. Por último, añadimos el sésamo, el cebollino y el vinagre.

Crema de calabacín con frutos de mar

- 1½ kg de calabacín
- 300 g de cebolla
- 200 g de puerro
- 250 g de patata
- 4 dientes de ajo
- 1 litro de fondo
  de pescado suave
- 20 berberechos
- 4 almejas finas
- 8 mejillones del país
- 100 ml de aceite
  de oliva
- 1 chorrito de
  vermouth
- cebollino
- pimienta
- sal

Lavamos y pelamos todas las verduras.

A continuación, abrimos los frutos de mar por separado al vapor y retiramos las conchas. Los reservamos en el jugo de la cocción.

Cortamos las verduras en tacos y las rehogamos en el aceite a fuego lento. Cuando estén tiernas agregamos el vermouth y dejamos reducir el alcohol.

Mojamos las verduras con el fondo de pescado y el jugo de los frutos de mar y las dejamos cocer hasta que la patata esté tierna.

Trituramos la crema, la pasamos por el colador, la volvemos a cocer y la salpimentamos.

Servimos en platos hondos una base de crema y los frutos de mar por encima, y espolvoreamos el cebollino.

Tempura de calabacín con mojo canario

- 2 calabacines

Para la tempura:
- 100 g de harina de arroz
- 200 ml de soda
- aceite de oliva para freír
- sal

Para el mojo canario:
- 2 tomates maduros
- 2 dientes de ajo
- 2 pimientos del piquillo
- 30 g de almendras fritas
- perejil
- aceite de girasol

- vinagre de jerez al gusto
- comino en polvo
- sal

Elaboramos la tempura mezclando la harina de arroz con la soda fría y una pizca de sal. Reservamos.

Lavamos y cortamos el calabacín en rodajas de unos 2 centímetros. A continuación, pelamos los tomates y los despepitamos.

Ponemos todos los ingredientes del mojo en un vaso alto y los emulsionamos con la batidora eléctrica. Sazonamos el mojo con las especias y lo reservamos.

Pasamos las rodajas de calabacín por la tempura y las freímos en aceite abundante hasta que se dore la tempura. Al sacarla de la sartén, dejamos escurrir un momento la tempura de calabacín sobre un trozo de papel absorbente.

Servimos una montañita de tempura en un plato llano y la salseamos con el mojo. Podemos llevar a la mesa el resto del mojo en una salsera.

Crema de calabaza con perlas de queso de cabra y tomates secos

- 1,2 kg de calabaza
- 1 cebolla
- 1 puerro
- 300 g de patata
- 1,2 litros de caldo de ave
- 150 ml de nata
- 200 g de queso de cabra
- 2 dientes de ajo
- 4 tomates secos
- 4 hojas de albahaca
- 60 ml de aceite de oliva suave
- pimienta
- sal

Lavamos y pelamos todas las verduras y las cortamos en dados.

Calentamos el aceite de oliva y rehogamos todas las verduras, a fuego lento para evitar que se doren.

Rehogadas las verduras, las mojamos con el caldo de ave y las trituramos. Pasamos la crema obtenida por el colador chino y volvemos a cocerla con la nata durante un par de minutos más. La salpimentamos.

Con las manos untadas de aceite de oliva, hacemos unas bolitas con el queso de cabra y las reservamos en la nevera.

Después, remojamos en agua los tomates secos hasta que estén blanditos. Una vez hidratados, los cocemos en un poco de agua y aceite durante 2 o 3 minutos.

Por último, servimos la crema en platos hondos, con las bolitas de queso preparadas al gusto (a temperatura ambiente, calientes y rebozadas, con sésamo, etc.) y los tomates secos cortados en juliana. Decoramos el plato con unas hojas de albahaca.

Pisto de calabaza con queso manchego

- 700 g de calabaza
- 1 cebolla
- 2 pimientos rojos
- 2 pimientos verdes
- 2 calabacines
- 1 cuña de queso manchego
- 50 ml de aceite de oliva virgen
- 4 dientes de ajo
- 300 ml de salsa de tomate
- azúcar
- orégano
- pimienta negra
- sal

Lavamos y pelamos las verduras y las cortamos en dados pequeños.

Calentamos el aceite de oliva y doramos la calabaza y el ajo, cortado muy fino, a fuego muy lento.

Cuando estén bien dorados, añadimos la cebolla y el pimiento rojo y verde, y los rehogamos hasta que estén tiernos.

Agregamos el calabacín y lo dejamos cocer durante unos 4 minutos.

Vertemos la salsa de tomate y el queso rallado, y sazonamos al gusto con sal, pimienta y azúcar. Rallamos el queso manchego sobre una sartén para hacer un crujiente. Cuando se haya fundido, le damos la vuelta para que se tueste por ambos lados.

Por último, emplatamos el pisto, colocamos el crujiente encima y decoramos con orégano.

Vichysoisse de puerros con avellanas y jamón de pato

- 1½ kg de puerro
- 300 g de cebolla
- 400 g de patata
- 60 g de avellanas
- 16 lonchas de jamón de pato
- 1½ litros de caldo de ave
- 200 g de mantequilla
- 100 ml de nata líquida
- 4 dientes de ajo
- salsa Tabasco al gusto
- salsa Perrins al gusto
- cebollino
- aceite de oliva
- pimienta
- sal

Lavamos, pelamos y troceamos las verduras.

En una cacerola, calentamos mantequilla y un poquito de aceite y pochamos la cebolla, el puerro y el ajo. Salamos para que las verduras suden.

Machacamos las avellanas y agregamos la mitad al guiso.

Incorporamos las patatas y las rehogamos durante 5 minutos, a fuego lento para que no cojan color.

Agregamos el caldo de ave y lo dejamos cocer todo durante 10 minutos.

A continuación, trituramos todo el conjunto con la batidora y lo volvemos a cocer durante 3 minutos más. Pasamos la crema por el colador chino y la reservamos en la nevera.

Cuando la crema se haya enfriado, le agregamos la nata, el Tabasco y la salsa Perrins, y rectificamos el punto de sal y pimienta.

Servimos la crema en platos soperos, con las lonchas de jamón de pato, el resto de las avellanas machacadas y el cebollino.

Crema fría de coliflor con lascas de bacalao y beicon

- 1 kg de coliflor
- 1 puerro
- 1 cebolla
- 300 g de patata
- 4 dientes de ajo
- 100 ml de aceite de oliva suave
- 30 g de queso parmesano
- 1½ litros de caldo de ave
- 300 g de bacalao desalado
- 100 g de beicon
- nuez moscada
- pimienta
- sal

Lavamos, pelamos y cortamos todas las verduras.

Las rehogamos en el aceite de oliva, con un poco de sal para que suden y se hagan antes.

Cuando se empiecen a pochar, añadimos el caldo de ave junto con el queso y la nuez moscada.

Cuando las verduras estén tiernas, las trituramos con el caldo, pasamos la crema resultante por el colador chino y la volvemos a cocer durante unos 3 minutos. Cuando esté lista la reservamos en la nevera.

Una vez fría, rectificamos el punto de sal y pimienta de la crema.

Precalentamos el horno a 150 °C.

Colocamos el bacalao separado en láminas y el beicon cortado en bastoncitos en la bandeja del horno. Los aliñamos con un chorrito de aceite y los asamos en el horno durante unos 4 minutos.

Para servir, ponemos un fondo de crema de coliflor en el plato y, encima, unas láminas de bacalao asado y unos bastoncitos de beicon. Lo rociamos con el jugo de la placa de asar y rallamos un poco de nuez moscada y queso parmesano por encima de cada plato.

Crema de espinacas con pasas, piñones y dados de butifarra

- 1½ kg de espinacas
- 8 espárragos trigueros
- 1 manojo de ajetes
- 1½ cebollas
- 200 g de patatas

- 50 g de pasas
- 50 g de piñones
- 150 g de butifarra
- 100 ml de nata
- 150 g de mantequilla

- 1⅕ litros de caldo de ave
- oporto
- sal
- pimienta

Ponemos las pasas en remojo con el oporto.

Mientras, lavamos y pelamos todas las verduras. Cortamos las espinacas, los ajetes y los espárragos, estos por la parte tierna del tallo.

En una cazuela con mantequilla y un poco de aceite salteamos todas las verduras hasta que queden tiernas.

A continuación, las cubrimos con el caldo de ave y las dejamos cocer unos 10 minutos.

Trituramos las verduras junto con el caldo, lo colamos con el colador chino y volvemos a cocer la crema obtenida, después de agregarle la nata, durante un par de minutos.

En una sartén con una gotita de aceite, salteamos la butifarra pelada y cortada en dados. Cuando esté dorada, añadimos los piñones y las pasas remojadas.

Corregimos el punto de sal y pimienta de la crema y la servimos en platos hondos con el salteado de butifarra por encima.

Delicias de espinacas con bechamel de curry

Para las delicias
de espinacas:
- 2 kg de espinacas
  frescas
- 300 g de beicon
- harina para rebozar
- huevo para rebozar
- aceite de oliva

Para la bechamel:
- 100 g de mantequilla
- 1 puerro
- 100 g de harina
- 600 ml de leche
- sal
- pimienta
- curry

Lavamos las espinacas en abundante agua y las cortamos.

Damos una ligera cocción a las hojas en agua hirviendo con un poco de sal, las refrescamos en agua con hielo y las escurrimos bien.

En una sartén, doramos el beicon cortado en dados muy finos.

Picamos las espinacas, las mezclamos con el beicon salteado y formamos con ellas unas albóndigas bien prietas.

A continuación, enharinamos y pasamos por huevo batido las delicias de espinacas. Las freímos y reservamos.

Preparamos la bechamel pochando en la mantequilla el puerro cortado lo más fino posible. Después incorporamos la harina, la rehogamos para que pierda el sabor a crudo y añadimos la leche, poco a poco, para que no se formen grumos.

Dejamos cocer la bechamel durante unos 10 minutos, sin dejar de remover. La salpimentamos, la sazonamos con el curry, y la dejamos cocer de nuevo hasta que se integren todos los sabores.

Mientras tanto, calentamos ligeramente las delicias de espinacas en el horno.

Servimos las delicias, cubiertas con la bechamel de curry.

Tartar de zanahoria

- 800 g de zanahoria
- 50 g de cebolla
- 8 hojas de cebollino
- 1 cucharadita de alcaparras
- 2 huevos enteros
- 2 yemas de huevo
- 100 ml de aceite de oliva
- 2 cucharadas de mostaza a la antigua
- 1 chorrito de Tabasco
- 1 chorrito de salsa Perrins
- 2 pepinillos
- 4 tostas de pan
- pimienta
- sal

Pelamos y cocemos tres cuartas partes de las zanahorias.

Hacemos un puré con la mitad de las zanahorias cocidas, y las demás las picamos finamente. Reservamos ambas preparaciones.

Por otro lado, picamos muy finas las zanahorias crudas, la cebolla, el cebollino y las alcaparras.

A continuación cocemos los dos huevos. Los pelamos y separamos las yemas de las claras, y las picamos ambas.

Después emulsionamos las yemas de huevo crudas con la mostaza y el aceite de oliva como si fuera una mayonesa.

Mezclamos esta emulsión con el puré, la zanahoria cocida picada y la zanahoria cruda picada.

Sazonamos la mezcla con sal, Tabasco, salsa Perrins y pimienta. Añadimos los pepinillos bien picados.

Para servir, colocamos unos moldes encima de los platos, los rellenamos con el tartar bien frío y retiramos los moldes. Llevamos los platos a la mesa con las tostas.

Cardos a la marinera

- 800 g de cardos
- 12 almejas
- 4 mejillones
- 4 gambas
- 100 g de pimiento rojo
- 100 g de pimiento verde
- 50 ml de salsa de tomate
- 1 litro de fondo de pescado
- 2 dientes de ajo
- 2 cucharadas de harina
- el zumo de 1 limón
- 1 cucharadita de pimentón
- aceite de oliva suave
- 8 hebras de azafrán
- sal

Limpiamos los cardos quitándoles todas las hebras, y los cortamos en trozos de unos 3 centímetros.

Cocemos los cardos en el fondo de pescado, con una cucharada de harina, el zumo de limón y un punto de sal. Cuando estén tiernos pero al dente, los reservamos.

Mientras, pelamos y picamos finos los ajos; lavamos los pimientos y los cortamos en dados pequeños.

En una cazuela con aceite de oliva, sofreímos los ajos y los pimientos.

Añadimos una cucharada de harina al sofrito y cuando esté rehogada incorporamos la salsa de tomate y el pimentón. Cocemos el sofrito a fuego lento sin dejar de remover para que no se queme.

A continuación, añadimos al sofrito la cantidad necesaria del fondo de pescado donde hemos cocido los cardos hasta conseguir una textura de sopa.

Cocemos la sopa unos 10 minutos y añadimos los mejillones y las almejas. Cuando estén abiertos, incorporamos los cardos, el azafrán y las gambas. Dejamos cocer solamente 2 minutos más para que las gambas no pierdan textura.

Por último, rectificamos el punto de sal y servimos los cardos muy calientes.

Ratatouille gratinada con bechamel y parmesano

Para la ratatouille:	Para la bechamel:
· 1 berenjena	· 100 g de mantequilla
· 1 calabacín	· 1 puerro
· 1 cebolla	· 100 g de harina
· 2 tomates	· 600 ml de leche
· 1 pimiento rojo	· 60 g de queso parmesano
· 1 pimiento verde	· pimienta
· aceite de oliva	· sal

Lavamos todas las verduras y las cortamos en rodajas de aproximadamente 1 centímetro de grosor.

Cuando estén listas, pasamos las verduras por la sartén a fuego fuerte, con una pizca de aceite de oliva, y las reservamos.

A continuación hacemos la bechamel pochando en la mantequilla el puerro cortado lo más fino posible. Cuando esté transparente, incorporamos la harina, la rehogamos para que pierda el sabor a crudo y añadimos la leche poco a poco para evitar que se formen grumos. Además, incorporamos un poco de queso parmesano rallado.

Dejamos cocer la bechamel durante 20 minutos como mínimo y la sazonamos con sal y pimienta.

Precalentamos el horno a 200 °C.

Disponemos las verduras marcadas en la sartén en una fuente de horno con un poco de aceite de oliva, en capas para formar una milhoja. Salpimentamos.

Cubrimos las verduras con la bechamel y el parmesano rallado, y las metemos en el horno durante unos 10 minutos a 200 °C.

Servimos la ratatouille recién horneada.

Wok de verduras con soja

- 1 cebolla
- 1 pimiento rojo
- 1 pimiento verde
- 8 tirabeques
- 8 espárragos trigueros
- 100 g de repollo
- 100 g de brotes de soja
- 4 dientes de ajo
- 100 ml de salsa de soja
- 2 cucharadas de azúcar moreno
- 50 ml de aceite de girasol
- pimienta
- sal

Lavamos y pelamos todas las verduras. A continuación las cortamos de la forma siguiente: el pimiento, la cebolla y el repollo, en juliana; a los tirabeques les cortamos las puntas; fileteamos el ajo, y cortamos los espárragos en bastoncitos. Los brotes de soja los dejamos enteros.

Vertemos el aceite de girasol en un wok y rehogamos las verduras, empezando por las más duras. Vamos añadiendo las demás, hasta terminar con las más blandas.

Cuando todas las verduras estén tiernas, las espolvoreamos con el azúcar moreno y las salteamos hasta que se caramelicen ligeramente.

Por último, las regamos con la salsa de soja, las salpimentamos y las servimos enseguida.

Yakitoris de puerros y langostinos

- 4 puerros tiernos
- 16 langostinos
- 200 ml de salsa de soja
- 100 ml de sake japonés
- 1 cucharadita de maicena
- 2 cucharadas de miel
- 1 cucharada de aceite de oliva suave
- sésamo
- semillas de amapola

Ponemos una cacerola con agua en el fuego y la llevamos a ebullición.

Lavamos y limpiamos los puerros. Los envolvemos en un trozo de film transparente y los sumergimos unos minutos en el agua hirviendo.

Refrescamos los puerros con agua fría, retiramos el film transparente y los cortamos en trozos de unos 6 centímetros.

Calentamos la miel en un cazo, agregamos el sake y lo dejamos reducir para que se evapore el alcohol. Lo regamos con un chorro de salsa de soja y cocemos durante 3 minutos.

Aparte, diluimos la maicena en un poquito de agua y la agregamos a la salsa del cazo. La dejamos cocer hasta que coja la textura adecuada y la reservamos.

Pelamos los langostinos dejándoles la cabeza y la cola.

Montamos unas brochetas con los trozos de puerro y los langostinos y los pasamos por una sartén con una gota de aceite de oliva a fuego muy fuerte.

Una vez asadas las brochetas, las sumergimos en la salsa preparada anteriormente y las espolvoreamos con el sésamo y las semillas de amapola.

Coliflor rebozada sobre crema fría de piquillos

- 500 g de coliflor
- 8 pimientos del piquillo
- 200 ml de salsa de tomate
- 150 ml de nata
- 4 dientes de ajo
- harina para rebozar
- huevo para rebozar
- aceite de oliva
- aceite de girasol
- azúcar
- romero
- albahaca
- pimienta blanca molida
- sal

Lavamos la coliflor y separamos los ramilletes.

La cocemos durante 10 minutos en abundante agua con sal y un chorrito de aceite de oliva. La reservamos en agua con hielo para cortarle la cocción.

En el aceite de girasol caliente, doramos el ajo cortado en láminas y añadimos los pimientos del piquillo con un poco de azúcar y sal. Los dejamos cocer unos minutos.

Cuando los pimientos del piquillo estén listos, los trituramos con la salsa de tomate, el aceite, el ajo confitado y la nata, y reservamos la salsa obtenida.

A continuación, pasamos la coliflor por harina y huevo y la freímos en abundante aceite de oliva hasta que se dore por todos los lados. Según la vamos sacando de la sartén la colocamos sobre un trozo de papel de cocina.

En el momento de servir, ponemos en los platos una base de la salsa de pimientos del piquillo confitados y, encima, la coliflor rebozada. Decoramos los platos con romero y albahaca y los llevamos a la mesa.

Chips de berenjenas a la andaluza con romesco

Para las chips de berenjenas:
- 500 g de berenjenas
- 1 litro de leche
- 100 g de harina
- 1 chorrito de vinagre de vino
- aceite de oliva virgen
- sal

Para la salsa romesco:
- 600 g de tomates maduros
- 200 g de berenjenas
- 100 g de pimiento rojo
- 2 ñoras
- 150 g de cebolla

- 50 g de almendras tostadas
- 100 ml de aceite de oliva suave
- ½ cabeza de ajos
- 2 rebanadas de pan tostado
- pimienta
- sal

La noche anterior, pondremos las ñoras en remojo con agua.

Para preparar el romesco, lavamos todas las verduras, excepto las ñoras, y las asamos en el horno a 160 °C durante 40 minutos. Cuando estén tiernas las refrescamos, las pelamos y las despepitamos.

Batimos todas las verduras asadas, el pan tostado cortado, la pulpa de las ñoras, las almendras y el jugo del asado. Lo trituramos todo hasta conseguir una pasta homogénea, y añadimos el aceite poco a poco sin dejar de batir. Si es necesario, le ponemos un poco de agua. Salpimentamos y la reservamos.

A continuación, lavamos las berenjenas, las cortamos en rodajas finas y las ponemos en remojo en la leche durante 30 minutos.

Después las escurrimos y las sumergimos unos segundos en vinagre de vino. Las escurrimos de nuevo y las salamos.

Pasamos las berenjenas por la harina, las sacudimos para eliminar la harina sobrante y las freímos en abundante aceite a fuego muy fuerte.

Las sacamos del aceite y las dejamos sobre un trozo de papel absorbente para eliminar el exceso de aceite.

Servimos las chips de berenjena con la salsa romesco en una salsera.

Lasaña de berenjenas a la milanesa

- 600 g de berenjenas
- 1 kg de tomates maduros
- 200 g de cebolla
- 4 dientes de ajo

- 100 g de jamón ibérico
- 200 g de queso parmesano
- 8 hojas de albahaca

- 50 ml de aceite de oliva
- 1 cucharadita de azúcar
- pimienta
- sal

Lavamos las berenjenas. Pelamos las cebollas. Pelamos y despepitamos el tomate y lo cortamos en dados.

En una cazuela con aceite de oliva rehogamos el ajo pelado y cortado finamente, la cebolla picada muy fina y el jamón cortado en dados.

Cuando esté todo bien sofrito añadimos el tomate y lo dejamos cocer hasta que pierda el agua.

Agregamos la albahaca al sofrito, salpimentamos y añadimos el azúcar que haga falta para corregir la acidez del tomate.

A continuación, pelamos las berenjenas y las cortamos longitudinalmente en láminas de entre ½ y 1 centímetro de grosor.

Engrasamos una bandeja de horno y la cubrimos con una base de láminas de berenjenas. Bañamos la berenjena con una parte de la salsa milanesa que hemos preparado y espolvoreamos queso parmesano rallado por encima. Repetimos la operación hasta terminar con toda la berenjena y el tomate, terminando siempre con una capa de salsa milanesa y queso rallado.

Introducimos la bandeja en el horno, precalentado a 180 °C, y dejamos que se ase el conjunto durante 20 minutos. Estará listo cuando el queso esté gratinado.

Cortamos la lasaña en porciones y la servimos.

Cardos al horno con salsa de cava y yemas

- 800 g de cardos
- 300 ml de cava
- 6 yemas de huevo
- 1⅓ litros del caldo de cocción de los cardos
- 100 ml de nata líquida
- 1 cucharada de harina
- el zumo de 1 limón
- 8 granos de pimienta blanca
- 1 cucharada de tomillo
- 1 cucharada de romero
- sal

Quitamos todas las hebras a los cardos y los limpiamos bien.

Los cortamos en trozos de unos 3 centímetros y los ponemos a cocer en abundante agua ligeramente salada con la harina y el zumo de limón.

Cuando estén tiernos pero al dente, los escurrimos, guardando el caldo, y los reservamos.

Ponemos el cava en un cazo con las hierbas y las especias y lo llevamos a ebullición. Lo dejamos cocer hasta que se reduzca a un tercio de su volumen.

Añadimos un poco del caldo de la cocción de los cardos y seguimos cociendo durante 30 minutos a fuego medio, con el cazo destapado.

A continuación, añadimos la nata y dejamos reducir el líquido hasta que resulte una salsa cremosa.

Colamos la salsa y la dejamos enfriar en la nevera. Cuando esté bien fría, añadimos las yemas de huevo, removiendo bien para que se integren completamente.

Precalentamos el horno a 200 °C.

Colocamos los cardos en una bandeja para el horno y los cubrimos con la salsa. Los horneamos durante 10 minutos aproximadamente.

Cuando estén gratinados, los sacamos del horno y los servimos.

Tallarines de verduras agridulces

- 2 zanahorias
- 2 calabacines
- 12 judías verdes
- 2 chirivías
- 8 espárragos
  trigueros

- 4 tomates cherry
- 1 cebolla grande
- 4 dientes de ajo
- 2 cucharadas de miel
- 60 ml de aceite de
  oliva suave

- el zumo de 1 naranja
- 100 ml de salsa
  de soja
- pimienta
- sal

Lavamos y pelamos todas las verduras, y las cortamos, excepto la cebolla y el ajo, a modo de tallarín. Para ello podemos utilizar tanto la mandolina como un pelador, haciendo tiras lo más largas posibles. Una vez cortadas, metemos las tiras de verduras en agua fría con hielo durante un minuto para que adquieran firmeza.

A continuación, en una sartén con aceite de oliva, sofreímos el ajo y la cebolla cortados en juliana.

Cuando estén dorados, vamos incorporando las diferentes verduras a la sartén teniendo en cuenta su dureza. Primero agregaremos la zanahoria y la chirivía, después las judías verdes, a continuación los espárragos trigueros y, por último, el calabacín y los tomates cherry. Salpimentamos.

Cuando esté todo rehogado, añadimos la miel y revolvemos para caramelizar las verduras.

A continuación, vertemos el zumo de naranja y un poquito después, la salsa de soja. Dejamos cocer todo junto durante un minuto.

Por último, emplatamos los tallarines de verdura con ayuda de un aro metálico. Colocamos el tomatito cherry encima y la salsa alrededor.

Tempura de verduras de temporada

Para el alioli ligero:
- 3 huevos
- 2 dientes de ajo
- vinagre de jerez al gusto
- 300 ml de aceite de oliva suave
- salsa de soja al gusto
- sal

Para las verduras:
- 4 espárragos trigueros
- 1 zanahoria
- ½ calabacín
- ½ berenjena
- 4 ramilletes de coliflor
- 8 judías verdes
- 1 puerro
- aceite de oliva suave

Para la tempura:
- ¼ kg de harina de arroz
- 1 cucharada de pimentón de la Vera
- 1 botellín de soda
- sal

Montamos un alioli ligero con los huevos, el aceite de oliva, el ajo, el vinagre y un poco de salsa de soja. Rectificamos de sal, lo colocamos en la salsera y lo reservamos en la nevera.

Pelamos y lavamos bien las verduras, y las cortamos de la forma que deseemos.

A continuación, cocemos las verduras en agua con sal, cada una el tiempo necesario según su dureza. Las refrescamos en agua con hielo para cortar la cocción en el punto deseado.

Para hacer la tempura, mezclamos en un bol la harina, el pimentón, la soda y la sal hasta que obtengamos una pasta homogénea y algo gruesa.

Rebozamos las verduras en la tempura y las freímos en abundante aceite a fuego muy fuerte. Al retirarlas de la sartén y las ponemos sobre un trozo de papel absorbente para quitarles el exceso de grasa.

Servimos las verduras y acompañadas de la salsera de alioli.

Habitas frescas con mollejitas de pato y huevo escalfado

- 600 g de habitas tiernas peladas
- 8 mollejas de pato confitadas
- 200 g de grasa de pato (de la conserva de las mollejas)
- 100 ml de jugo de carne
- 4 huevos
- 4 dientes de ajo
- 2 cucharadas de vinagre
- cebollino
- pimienta negra molida
- sal gorda
- sal fina

Primero blanqueamos las habitas en agua hirviendo durante unos diez segundos y las refrescamos en agua con hielo. Las reservamos.

Derretimos la grasa de pato, en la que vienen las mollejas confitadas, y reservamos 200 gramos para elaborar la receta.

Cortamos en láminas las mollejas y el ajo y lo salteamos todo con la grasa de pato reservada hasta que las mollejas queden doradas. Añadimos las habitas.

Agregamos el jugo de carne, salpimentamos y dejamos que se reduzca el líquido.

Aparte, escalfamos los huevos en agua, vinagre y sal gorda.

Para emplatar ponemos las habitas salteadas en el fondo del plato y los huevos escalfados encima, y espolvoreamos el conjunto con el cebollino fresco.

Guisantes frescos al ajillo de gambas y jerez

- 600 g de guisantes frescos
- 70 ml de aceite de oliva
- 16 gambas blancas
- 4 dientes de ajo
- 50 ml de jerez seco
- perejil picado
- pimienta molida
- sal

En primer lugar, blanqueamos en agua hirviendo los guisantes durante unos 2 minutos y los refrescamos en agua con hielo. Los reservamos.

Pelamos las gambas, dejándoles la cabeza y la cola.

En una sartén con aceite de oliva doramos el ajo cortado en láminas.

Cuando el ajo esté dorado, añadimos las gambas y las salteamos ligeramente. Agregamos el jerez y reservamos las gambas.

En el mismo aceite, rehogamos los guisantes hasta que se queden tiernos. Entonces incorporamos las gambas y dejamos que se calienten.

Sazonamos los guisantes con sal y pimienta y los espolvoreamos con el perejil picado. Los servimos en platos, de forma que se vean las gambas encima del salteado.

Alcachofas rellenas de verduritas con salsa holandesa

Para las alcachofas rellenas:
- 16 alcachofas
- 6 judías verdes
- 120 g de repollo
- 120 g de zanahoria
- 120 g de calabacín

- 100 g de mantequilla
- 100 g de harina
- 100 ml de nata
- el zumo de 1 limón
- pimienta
- sal

Para la salsa holandesa:
- 250 g de mantequilla
- 4 yemas de huevo
- 1 limón
- pimienta
- sal

Limpiamos las alcachofas y las cortamos en forma de fondo. Las cocemos en agua con 1 cucharada de harina, zumo de limón y sal hasta que estén blandas (las pinchamos para comprobar la cocción). Lavamos, pelamos y picamos muy finas las demás verduras. Derretimos un poco de mantequilla en una sartén y salteamos las verduras picadas, con un poco de sal para que suden.

Añadimos al relleno 1 cucharadita de harina y removemos para que se rehogue. Cocida la harina, vertemos la nata y la dejamos reducir. Rectificamos el punto de sal, sazonamos con pimienta y reservamos. Cuando estén cocidas las alcachofas, escurrimos el caldo y las rellenamos con la mezcla de verduras.

A continuación, preparamos la salsa holandesa. Primero clarificamos la mantequilla dejando que se separe el suero de la grasa.

Montamos las yemas de huevo con el batidor de varillas. Cuando estén emulsionadas, añadimos la mantequilla poco a poco y seguimos batiendo hasta que la salsa adquiera una textura parecida a la de la mayonesa. La aderezamos con sal, pimienta y zumo de limón.

Precalentamos el horno a 200 °C. Colocamos las alcachofas rellenas en una bandeja de horno, las cubrimos con la salsa holandesa y las horneamos hasta que se doren.

Gratén de brócoli
con queso manchego y beicon

- 600 g de brócoli
- 400 g de patata
- 100 g de queso
  manchego
- 50 g de beicon
- 1 litro de nata

- 4 dientes de ajo
- 30 g de mantequilla
- nuez moscada
- pimienta blanca
- sal

Precalentamos el horno a 160 °C.

Lavamos y cortamos el brócoli en rodajas de 2 centímetros aproximadamente.

Pelamos, lavamos y cortamos las patatas en rodajas del mismo grosor que las de brócoli. No las lavamos después de cortarlas para poder aprovechar el almidón que contienen.

Picamos el beicon y el ajo finamente.

Untamos una bandeja de horno con mantequilla y cubrimos la base con las rodajas de patata. Las sazonamos con sal y pimienta, las espolvoreamos con el ajo y el beicon y las cubrimos con las rodajas de brócoli. Hacemos varias capas del mismo modo, hasta terminar los ingredientes.

Vertemos la nata por encima hasta que cubra el contenido de la bandeja, y espolvoreamos la superficie con nuez moscada y el queso manchego rallado.

Metemos la bandeja en el horno y dejamos cocer el gratén durante aproximadamente una hora.

Cortamos el gratén en porciones y lo servimos muy caliente.

Papillote de brócoli y verduras con mojo canario

Para el papillote:
- 500 g de brócoli
- 200 g de puerro
- 100 g de zanahoria
- 100 g de repollo
- 8 judías verdes
- 50 g de mantequilla
- 50 ml de vino blanco
- pimienta
- sal

Para el mojo:
- 2 tomates maduros
- 2 dientes de ajo
- 2 pimientos del piquillo
- 30 g de almendras fritas
- 80 ml de aceite de girasol
- 1 chorrito de vinagre de jerez
- 1 cucharada de perejil
- 1 cucharadita de comino
- sal

Precalentamos el horno a 180 °C.

Lavamos, pelamos y cortamos en juliana todas las verduras del papillote.

Untamos con mantequilla un trozo de papel de aluminio, bien estirado, y ponemos encima todas las verduras, agrupadas en el centro, el vino tinto, la sal y la pimienta. Doblamos el papel en forma de sobre, procurando que quede un paquete totalmente sellado.

Metemos el sobre de las verduras en el horno durante unos 15 minutos.

Para preparar el mojo, pelamos y despepitamos los tomates. Los cortamos en trozos y los colocamos en el vaso de la batidora.

Agregamos los demás ingredientes del mojo, menos las especias, y los trituramos, hasta que quede una salsa bien emulsionada.

Aderezamos el mojo con las especias y lo reservamos.

Sacamos los sobres del horno y los ponemos cada uno en un plato, para abrirlos en la mesa en el momento de consumirlos. Servimos el mojo en una salsera.

Berenjenas rellenas de verduritas con salsa aurora

Para las berenjenas rellenas:
- 4 berenjenas
- 6 judías verdes
- 120 g de repollo
- 120 g de zanahoria
- 120 g de calabacín
- 200 ml de nata líquida

- 100 g de mantequilla
- queso parmesano rallado
- pimienta
- sal

Para la salsa aurora:
- 100 g de mantequilla
- 100 g de harina

- 1 litro de leche
- 100 g de cebolla
- 300 ml de salsa de tomate
- pimienta
- sal

Precalentamos el horno a 200 °C. Lavamos y partimos las berenjenas en dos longitudinalmente. Les hacemos unos cortes en la pulpa para que se asen mejor. Las untamos con un poco de aceite y las asamos durante 10 minutos.

Mientras, lavamos, pelamos y picamos muy finas todas las verduras. Calentamos la mantequilla en una sartén y las salteamos, sin el calabacín, con un poco de sal para que suden. Cuando estén tiernas, incorporamos el calabacín y lo cocemos 2 minutos. Añadimos la harina, la rehogamos y, cuando pierda el sabor a crudo, incorporamos la nata y la dejamos hasta que tenga una textura de crema. La salpimentamos y reservamos.

Sacamos la pulpa a las berenjenas, la picamos, la añadimos al preparado y rellenamos las berenjenas con él.

Para la salsa aurora, pochamos la cebolla picada con mantequilla. Cuando esté transparente añadimos la harina, la freímos unos minutos y agregamos la leche poco a poco para evitar los grumos. Antes de que se empiece a cocer y espesarse, añadimos el tomate y la cocemos 20 minutos.

Ponemos las berenjenas en una bandeja de horno, las cubrimos con la salsa, la espolvoreamos con el queso rallado, las horneamos a 200 °C durante 20 minutos y las servimos calientes.

Tacos de berenjena a la riojana

- 1 kg de berenjenas
- 1 litro de leche
- 1 cebolla
- 1 pimiento rojo
- 1 pimiento verde
- 200 ml de salsa de tomate

- 2 cucharadas de pulpa de pimiento choricero
- 4 dientes de ajo
- vinagre de vino
- harina
- aceite de oliva

- azúcar
- pimienta
- sal

Pelamos las berenjenas con un cuchillo de sierra y las cortamos en tacos. Las sumergimos en la leche durante 30 minutos para suavizarlas.

Pasado este tiempo, sacamos las berenjenas de la leche, las escurrimos bien y las metemos unos segundos en un plato con vinagre. Escurrimos el exceso de vinagre.

Pasamos los tacos de berenjena por harina, los sacudimos y los freímos por todos los lados en abundante aceite de oliva, hasta que se doren bien. Los reservamos sobre un trozo de papel absorbente.

En una sartén con aceite de oliva, rehogamos el ajo y la cebolla picados y los pimientos cortados en dados.

Cuando estén dorados incorporamos la salsa de tomate junto con la pulpa de los pimientos y lo dejamos cocer todo durante unos 15 minutos a fuego lento. Aderezamos el sofrito con sal y pimienta y, si fuera necesario, azúcar.

Para servir, ponemos la salsa riojana en la base del plato y los tacos de berenjena encima.

Arroz de verduritas azafranado

- 300 g de arroz
- 100 g de zanahoria
- 100 g de coliflor
- 100 g de brócoli
- 100 g de puerro
- 100 g de calabacín
- 50 g de pimiento rojo
- 50 g de pimiento verde
- 16 judías verdes
- 12 espárragos trigueros
- 250 ml de salsa de tomate
- 6 dientes de ajo
- 1 cucharadita de pimentón dulce
- 1⅓ litros de caldo de ave
- aceite de oliva
- sal

Lavamos y pelamos la zanahoria, la coliflor, el brócoli, el puerro y el calabacín. Los cortamos todos en tacos.

Lavamos los pimientos y los cortamos en dados pequeños.

En una paellera con aceite doramos los pimientos y el ajo. Antes de que tomen color, agregamos el resto de las verduras y las rehogamos.

Cuando estén bien doradas, añadimos el arroz, que también sofreímos hasta que cambie de color.

Después añadimos el pimentón, lo sofreímos e incorporamos la salsa de tomate.

Cubrimos el arroz con el caldo de ave caliente, añadimos el azafrán y la sal. Dejamos cocer el arroz durante 2 minutos a fuego fuerte y luego lo pasamos a un recipiente apto para horno.

Metemos el arroz en el horno a 200 °C durante 10 minutos.

Cuando esté listo, lo sacamos del horno y lo dejamos reposar durante 5 minutos.

Lo servimos en los platos, intentando dejar las verduras por encima del arroz.

Fideuá negra de verduras

- 300 g de fideos para fideuá
- 50 g de pimiento rojo
- 50 g de pimiento verde
- 16 judías verdes
- 100 g de zanahoria
- 12 espárragos trigueros
- 100 g de puerro
- 100 g de calabacín
- 100 g de coliflor
- 250 ml de salsa de tomate
- 6 dientes de ajo
- 1 cucharadita de pimentón dulce
- 1 litro de fondo de pescado
- 2 cucharadas de tinta de calamar
- aceite de oliva virgen
- sal

Lavamos y pelamos todas las verduras, salvo los pimientos, y las cortamos en tacos. Lavamos los pimientos y los cortamos en dados pequeños. Calentamos aceite de oliva en una paellera y empezamos a dorar los pimientos y el ajo. Antes de que tomen color, agregamos el resto de las verduras y lo rehogamos todo.

Cuando estén todas las verduras bien doradas, añadimos los fideos y los sofreímos, removiendo siempre, hasta que cambien de color.

Incorporamos el pimentón, removemos un poco y añadimos la salsa de tomate.

Calentamos el fondo de pescado y lo vertemos en la paellera, de modo que cubra los fideos.

Añadimos la tinta de calamar, la sal y dejamos cocer la fideuá durante 3 minutos a fuego fuerte. Metemos la paellera en el horno y continuamos la cocción a 200 °C durante unos 10 minutos. Cuando los fideos estén en su punto, los sacamos del horno y los dejamos reposar durante 5 minutos.

Servimos la fideuá en los platos, procurando que las verduras se vean encima de los fideos.

Marmita de berza con chistorra

- 800 g de berza o repollo
- 200 g de chistorra navarra
- 1 cebolla
- 150 g de zanahoria
- 300 g de patata

- 100 ml de salsa de tomate
- 2 litros de caldo de ave
- 50 g de miga de pan
- ½ vaso de leche
- 1 huevo

- 1 cucharada de harina
- 4 dientes de ajo
- 1 diente de ajo picado
- 1 rama de perejil
- 20 ml de aceite de oliva suave
- sal

Pelamos y lavamos la cebolla, la zanahoria y la patata. Lavamos la berza, y la cortamos en tacos, igual que la chistorra. Después, picamos finamente el ajo, la cebolla y la zanahoria.

Mezclamos la miga de pan, la leche, el ajo, el perejil, una pizca de sal y el huevo hasta conseguir una masa consistente.

Freímos la masa en aceite, con la ayuda de dos cucharas, y la reservamos.

En una sartén profunda con un poquito de aceite de oliva, sofreímos la chistorra para que sude y suelte la grasa. Retiramos la chistorra, la reservamos y en la grasa que ha quedado en la sartén sofreímos el ajo, la cebolla y la zanahoria.

Añadimos a la sartén la patata cortada en trozos y la cucharada de harina. A continuación agregamos la salsa de tomate y el caldo de ave.

Cuando el caldo empiece a hervir, agregamos la berza y la dejamos cocer hasta que quede tierna.

Incorporamos la chistorra y la masa frita y dejamos cocer la marmita durante 5 minutos.

Rectificamos el punto de sal y servimos bien caliente en una cazuelita o un plato hondo.

Pastel de berza con verduritas y esencia de mar

- 4 hojas de berza
- 60 g de judías verdes
- 60 g de repollo
- 100 g de zanahoria
- 200 g de puerro
- 150 g de calabacín

- 3 dientes de ajo
- 50 g de harina
- 60 g de mantequilla
- 200 ml de nata líquida
- 3 huevos

- 25 g de alga nori molida
- pimienta
- sal

Lavamos todas las verduras, excepto la berza, y las cortamos en dados muy finos.

Lavamos las hojas de berza enteras, las secamos y les damos una cocción de 5 minutos. Las refrescamos y las reservamos.

En una cazuela con mantequilla, pochamos todas las verduras con un poquito de sal para que suden y se ablanden.

Cuando estén tiernas, añadimos la harina y la rehogamos para que pierda el sabor a crudo. A continuación, agregamos la nata y la dejamos reducir hasta que todo se espese como una masa.

Dejamos enfriar la masa, le añadimos los huevos batidos, rectificamos el punto de sal y pimienta y la mezclamos con el alga nori.

Precalentamos el horno a 150 °C.

Ponemos una hoja de berza en la base de cuatro boles o cuencos forrados con film transparente, y colocamos encima la masa de verduras y algas. La tapamos con el sobrante de la berza para que los pasteles queden sellados.

Horneamos los pasteles al baño María durante unos 40 minutos aproximadamente.

Sacamos los pasteles de los moldes dándoles la vuelta y los emplatamos.

Menestra de verduras al cava

- 4 espárragos trigueros
- 1 zanahoria
- ½ calabacín
- ½ berenjena
- 4 ramilletes de coliflor
- 8 judías verdes
- 1 puerro

- 100 g de guisantes
- 100 g de jamón ibérico
- 100 ml de cava
- 200 ml de caldo de ave
- 50 ml de salsa de tomate
- 1 diente de ajo

- 1 cucharada de harina
- pimentón
- azafrán
- nata al gusto
- aceite de oliva suave
- pimienta
- sal

Lavamos la coliflor y la cortamos en ramilletes. Lavamos y pelamos el resto de las verduras y las cortamos en bastoncitos.

Blanqueamos la coliflor en agua hirviendo con sal hasta que quede al dente. La refrescamos en agua con hielo y la reservamos.

En una sartén calentamos el aceite de oliva y rehogamos el ajo y el jamón cortado en tacos pequeños. A continuación agregamos todas las verduras (menos la coliflor), las más duras al principio y las más tiernas al final; lo último que añadimos son los guisantes.

Cuando estén todas las verduras salteadas las espolvoreamos con un poco de harina y removemos para rehogar la harina y quitarle el sabor a crudo.

Seguidamente, añadimos la salsa de tomate y el pimentón, damos unas vueltas y agregamos el cava. Dejamos que se reduzca.

Una vez reducido el cava, vertemos el caldo de ave y el azafrán. Cuando empiece a cocer, añadimos un poco de nata.

Finalmente incorporamos la coliflor. Lo cocemos todo durante 3 minutos más y rectificamos la sazón.

Servimos la menestra enseguida en cazuelitas de barro o platos hondos.

Sancocho de verduras con cilantro

Para el sancocho:
- 200 g de zanahoria
- 200 g de cebolla
- 200 g de nabo
- 200 g de yuca
- 200 g de patata
- 1 plátano macho
- 2 mazorcas de maíz
- 16 judías verdes
- 200 g de puerro
- 4 dientes de ajo

- 50 ml de aceite de oliva
- 2 cucharadas de harina
- 1½ litros de caldo de gallina
- 1 cucharada de cilantro
- 1 hoja de laurel
- pimienta
- sal

Para el aliño:
- 2 dientes de ajo
- 1 cebolleta
- 1 tomate
- el zumo de 1 limón
- el zumo de 1 lima
- 1 cucharada de cilantro

Pelamos y cortamos el ajo, la cebolla y la zanahoria en dados muy pequeños. Pelamos las demás verduras, frutas y tubérculos y las cortamos en dados grandes.

En una cazuela con aceite de oliva, rehogamos los ajos, la cebolla y la zanahoria. Cuando todo esté bien dorado, añadimos harina y la rehogamos hasta que se cocine. Vertemos el caldo de gallina en la cazuela, le agregamos el cilantro cortado y el laurel, y lo llevamos a ebullición.

Seguidamente cocemos los vegetales en la cazuela, incorporándolos por tandas: primero las mazorcas, luego el plátano macho, luego la patata y la yuca, después el puerro y el nabo, y por último, las judías verdes. Dejamos cocer hasta que esté todo tierno.

Para preparar el aliño, picamos todos los ingredientes lo más fino posible, agregamos el zumo de limón y de lima y mezclamos bien.

Rectificamos el punto de sal y pimienta del guiso, le agregamos el aliño y lo servimos muy caliente.

Setas a la madrileña
sobre compota de cebolla

- 600 g de setas de cultivo
- 500 g de cebolla
- 150 g de mantequilla
- 100 g de azúcar
- 4 dientes de ajo
- harina para rebozar
- huevo para rebozar
- pan rallado para rebozar
- aceite de oliva
- perejil
- cebollino

Lavamos las setas, las escurrimos y las reservamos.

En una cazuela con mantequilla y un poco de aceite, rehogamos la cebolla cortada en juliana hasta que esté pochada. Incorporamos el azúcar y la dejamos cocer hasta que se dore el azúcar y se caramelice la cebolla.

Trituramos la cebolla hasta que adquiera la consistencia de una compota y la salpimentamos.

Pasamos las setas por harina, huevo y pan rallado mezclado con el ajo y el perejil bien picados. Freímos las setas en abundante aceite y las dejamos sobre un trozo de papel absorbente para escurrir la grasa sobrante.

En el momento de servir, montamos unas milhojas en los platos superponiendo varias capas de setas empanadas y compota de cebolla, y los espolvoreamos con cebollino fresco picado.

Fondos de calabacín rellenos de morcilla y cebolla

- 4 calabacines
- 200 g de morcilla de cebolla
- 2 cebollas
- 1 pimiento rojo
- 1 pimiento verde
- 2 dientes de ajo
- 200 ml de salsa de tomate
- aceite de oliva suave
- pimienta
- sal

Precalentamos el horno a 180 °C.

Lavamos los calabacines y los cortamos en rodajas gruesas, de unos 5 centímetros. Vaciamos la carne por un lado con un vaciador y la reservamos.

Asamos los fondos de calabacín tapados con papel de aluminio durante unos 20 minutos.

Mientras, picamos los pimientos y el ajo y los pochamos en una sartén con aceite de oliva a fuego fuerte.

Cuando el pimiento esté tierno, añadimos la salsa de tomate. Sazonamos el sofrito con sal y pimienta y, si hace falta, azúcar.

Cortamos la cebolla en juliana y la freímos en aceite de oliva en otra sartén. Cuando esté transparente añadimos la carne del calabacín picada. La dejamos cocer hasta que esté tierna.

Rellenamos los fondos de calabacín con el pisto, y colocamos encima un trozo de morcilla cruda y, por último, la cebolla con la carne de calabacín.

Horneamos los fondos rellenos a 180 °C durante 15 minutos y los servimos.

Espárragos trigueros a la bilbaína con pimientos del piquillo confitados

- 32 espárragos trigueros
- 16 pimientos del piquillo
- 200 ml de aceite de oliva virgen
- 10 dientes de ajo
- 1 cucharadita de azúcar
- 1 guindilla
- 1 chorrito de vinagre de jerez
- pimienta
- sal

Lavamos los espárragos trigueros y les cortamos la parte dura.

En una cazuela con aceite de oliva, freímos 8 dientes de ajos con la piel, con un corte en el medio pero sin llegar a partirlos.

Bajamos el fuego y ponemos, en la misma cazuela, los pimientos del piquillo con una pizca de sal y el azúcar, y los vamos rehogando hasta que queden caramelizados y blandos. Los retiramos y reservamos.

En la misma cazuela confitamos los espárragos a fuego suave hasta que se reblandezcan. Los reservamos.

Colocamos los pimientos, los ajos y los espárragos de forma armoniosa en unos platos trincheros.

Cortamos el resto de los ajos en láminas y los salteamos en el aceite de confitar a fuego fuerte. Cuando los ajos estén dorados añadimos la guindilla y, fuera del fuego, el vinagre.

Salseamos los platos con este aliño y los servimos enseguida.

ÍNDICE DE RECETAS

100 % vegetal

ÍNDICE DE RECETAS

ÍNDICE DE INGREDIENTES